Pour Patch — F.B.
Pour Kyle Zimmer et First Book — L.N.

Benji, tu veux un beigne?

Catalogage avant publication de Bibliothèque et Archives Canada

Numeroff, Laura Joffe

Benji, tu veux un beigne? / Laura Numeroff ; illustratrice, Felicia

Bond ; traductrice, Marie-Carole Daigle.

Traduction de: If you give a dog a donut.
ISBN 978-1-4431-2554-3

I. Bond, Felicia II. Daigle, Marie-Carole III. Titre.

PZ23.N86Ben 2013   j813'.54   C2012-906683-4

Édition publiée par les Éditions Scholastic, 604, rue King Ouest,
Toronto (Ontario) M5V 1E1

5 4 3 2 1   Imprimé au Canada 114   13 14 15 16 17

Benji,

tu veux un beigne?

Laura Numeroff

ILLUSTRATIONS DE Felicia Bond

Texte français de Marie-Carole Daigle

Si tu donnes un beigne à ton chien,

il voudra boire du jus de pomme aussi.

Après avoir bu tout son jus,

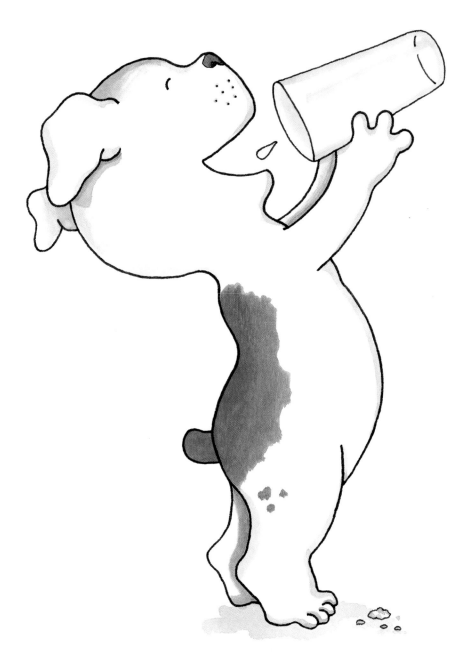

il en redemandera.

Comme il n'y en aura plus, il décidera d'en faire.

Il ira dehors cueillir des pommes.

Du haut de l'arbre, il te lancera une pomme.
Ça lui fera penser qu'il aime bien le baseball.

Il te proposera de jouer.

Tu courras chercher une balle

et un gant.

Bien sûr, il faudra aussi un bâton.

Il voudra que tu lui lances la balle…

et il frappera un coup de circuit!

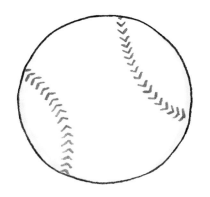

Il sera fier de lui et sautera de joie.

Sauter ainsi lui donnera chaud et soif,
donc il cherchera de l'eau.

Il se mettra sûrement à jouer avec l'eau.

Et tu devras l'essuyer avec ton bandana.

Il s'en servira pour se déguiser en pirate,

puis t'invitera à une chasse
au trésor.

C'est alors qu'il découvrira un vieux cerf-volant
et tiendra à s'en fabriquer un.

Tu devras aller lui chercher quelques bouts de bois,
du papier et de la ficelle.

Une fois le cerf-volant terminé,

il le fera voler. Le cerf-volant
montera très haut dans les airs…

et s'emmêlera dans les branches du pommier.

Le pommier lui fera
penser au jus de pomme,
ce qui lui donnera envie
d'en boire encore.

Et il est fort probable que

si ton chien te demande du jus de pomme,

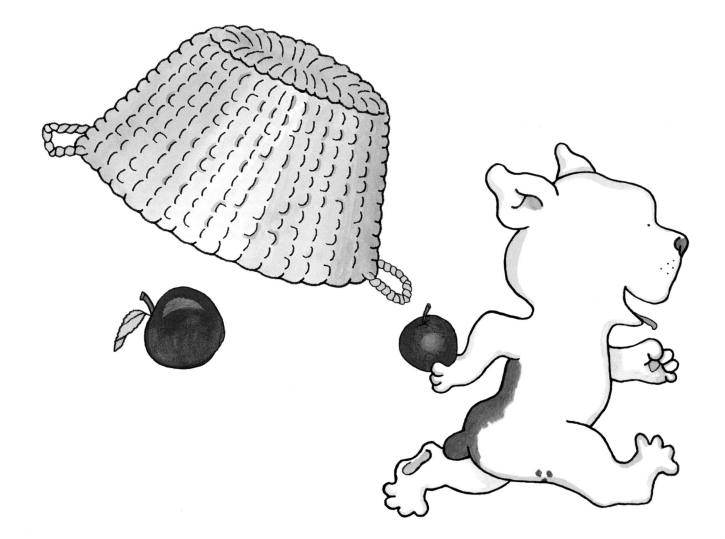

il voudra aussi… un beigne!